L'invitation faite au loup

Loi n° 49.956 du 16 juillet 1949 sur les publications destinées à la jeunesse : octobre 2013
Dépôt légal : octobre 2013
Imprimé en France par I.M.E.

ISBN 978-2-211-21358-5

Christian Oster

L'invitation faite au loup

Illustrations d'Anaïs Vaugelade

Mouche
l'école des loisirs
11, rue de Sèvres, Paris 6e

Le cochon aimait bien sortir de la ferme. À la nuit tombée, quand tous les animaux dormaient, il poussait la barrière et s'en allait dans la campagne.

Évidemment, il lui arrivait de rencontrer le loup.

Souvent, même.

Heureusement, le cochon courait vite. Et surtout, il avait une bonne vue. Il voyait le loup venir de très loin. Dès qu'il l'apercevait, il se mettait à courir en direction de la ferme.

Et il lui échappait.

se mettre à + inf = to begin to do something

Parfois, le loup tentait de le prendre par surprise, au détour d'un chemin. Mais le cochon était sur ses gardes, et il avait une très bonne ouïe. Il entendait les pattes du loup effleurer le sol. Là encore, le loup n'arrivait pas à l'attraper. Le cochon détalait.

Mais le cochon était fatigué de passer sa vie à courir pour échapper au loup.

Une nuit qu'il était sorti dans la campagne, il aperçut son ennemi au bout du chemin et ne se mit pas à courir.

Il appela le loup.

– Hé, loup ! Arrête-toi ! J'ai un marché à te proposer.

Le loup fut si surpris qu'il cessa d'avancer vers le cochon.

un marché = a deal (here)

– Qu’est-ce que c’est quc cette histoire ? l’interrogea-t-il tout de même. Quel marché ? Où veux-tu en venir ? Je suis le loup, tu es le cochon, j’essaie de t’attraper pour te manger, c’est tout !

– Mais tu n'y arrives jamais ! lui fit observer le cochon. D'une part, comme tu as pu le constater, je cours très vite. Je suis le cochon le plus rapide de la région. D'autre part, j'ai l'oreille très fine, et je t'entends venir au détour des chemins. Là encore, je t'échappe. Et j'en ai assez de passer mon temps à t'échapper quand je sors la nuit.

– Tu n'as qu'à pas sortir la nuit, argumenta le loup, qui, pour l'instant, n'avait pas fait un pas de plus vers le cochon.

On sentait que, grâce aux remarques du cochon, il se laissait aller à discuter avec lui.

– Il se trouve que j'ai envie de continuer à sortir la nuit, poursuivit donc le cochon. Alors, je te propose de passer une épreuve. Si tu gagnes cette épreuve, je ne chercherai plus à t'échapper, et tu me mangeras. Si tu la perds, tu ne me courras plus après et je pourrai sortir la nuit tranquillement.

– Attends que je réfléchisse, fit le loup en se grattant la tête. Quel intérêt j'ai à faire ça, puisque je peux t'attraper maintenant ?

– Tu es bête ou quoi ? reprit le cochon. Tu veux que je me mette à courir, pour voir si tu m'attrapes ?

– Heu, non, fit le loup. Évidemment…

– Alors ? dit le cochon.

– C'est que j'aimerais savoir de quel genre d'épreuve tu parles, dit le loup.

– Eh bien, expliqua le cochon, je te propose de venir demain après-midi à la ferme.

– Ah oui ? fit le loup, qui, à l'idée d'entrer dans la ferme, commençait déjà à saliver.

– Ne te méprends pas, expliqua le cochon. Si tu viens à la ferme, c'est pour passer l'épreuve. Interdiction de te jeter sur les animaux qui seront là.

ban (f)

bête = stupid

genre = sort, kind, manner

se méprendre = to be mistaken about

– Qu'est-ce qui m'empêcherait de le faire ? demanda le loup, qui n'avait toujours pas avancé d'un pas.

– Ton sens de l'honneur, lui répondit le cochon. Le respect de tes engagements.

– Quels grands mots ! s'exclama le loup.

– Tu as bien de grandes dents, observa le cochon.

– C'est pas pareil, fit le loup.

– De toute façon, tous les animaux qui seront là demain après-midi seront beaucoup plus petits que moi, expliqua le cochon. Et ce que tu gagneras, si tu gagnes l'épreuve, ce sera le droit de me manger moi, qui suis bien plus gras.

– Et qu'est-ce qui me prouve

un engagement - a commitment

c'est pas pareil = it's not the same

que tu respecteras tes engagements, si je passe l'épreuve avec succès ? demanda le loup.

– Mon sens de l'honneur, répondit le cochon.

– Tu te laisseras manger ?

– Absolument ! fit le cochon. Quoi qu'il en soit, je te ferai remarquer que c'est le seul moyen pour toi d'y arriver, puisque je cours plus vite que toi.

– Soit, convint le loup. Mais en quoi consistera l'épreuve ?

– À bien comprendre ce que fera devant toi chaque animal de la ferme, expliqua le cochon. Plus un autre animal qui sera une surprise. C'est une épreuve d'intelligence.

– Je ne suis pas complètement idiot ! fit le loup en se redressant fièrement, toujours sans avancer d'un pas. Tu crois que ça me fait peur ?

– Je n'ai pas dit ça, fit le cochon.

– Alors, à demain après-midi, déclara le loup avec fierté.

Et, à la satisfaction du cochon, il tourna les talons.

– À demain après-midi ! lui cria le cochon.

Et il rentra à la ferme.

Le lendemain matin, il réunit certains animaux de la basse-cour. Pas tous. Il convoqua donc le paon, une douzaine de poussins, une caille et le canard. Il fit également venir le chat.

– Voilà, leur expliqua-t-il. Cet après-midi, nous aurons la visite du loup.

– Houlà ! fit le canard.

– Ouillouillouille ! firent les poussins.

– Pas possible ! fit le paon.

– T'es fou ! fit la caille.

– Pas question ! fit le chat.

– Attendez ! dit le cochon. Je vais vous expliquer.

Et il leur expliqua. Il fit surtout valoir qu'il était le plus gras de tous.

– Ça paraît correct, dit la caille quand le cochon eut terminé.

– Moyen, firent les poussins.

– Pénible, dit le paon.

– Chat che dichcute, fit le chat.

– C'est quand même un peu pour toi qu'on le fait, dit le canard.

– Je vous en remercie, dit le cochon.

Tous les animaux, en vérité, aimaient beaucoup le cochon. Et ils voulaient bien l'aider à sortir le soir sans avoir à courir pour échapper au loup. En plus, quand il allait se promener la nuit, et qu'il rentrait, le cochon leur racontait la nuit dans la campagne, et ils trouvaient ça très intéressant.

– On va donc organiser une sorte de kermesse avec des stands, reprit le cochon. Toi, le paon, tu vas t'installer là, devant un réchaud à gaz. Tu y feras cuire une escalope recouverte d'un peu de biscotte écrasée. Et je demanderai au loup ce que tu fais.

– D'accord, fit le paon.

– Vous, dit le cochon aux douze poussins, vous vous installerez à côté, près d'un bidon de lait vide couché sur le sol, que vous ferez rouler sur quelques mètres. Et je demanderai au loup ce que vous faites.

– On devrait pouvoir y arriver, dirent les poussins.

– Toi, la caille, poursuivit le

cochon, tu te tiendras debout adossée à trois gros blocs de glace. Et je demanderai au loup ce que tu fais.

– Je n'en saurai rien moi-même, observa la caille.

– Pas grave, dit le cochon. Ce ne sera pas à toi de répondre. Toi, poursuivit-il en s'adressant au chat, tu t'installeras devant un ordinateur, et tu taperas sur le clavier. Et je demanderai au loup ce que tu fais.

– Pas de problème, dit le chat.

– Moi, reprit le cochon, je m'installerai devant un grand tableau quadrillé où j'inscrirai des croix dans les cases. Et je demanderai au loup ce que je fais. Quant à toi, ajouta-t-il à l'adresse du canard, tu te tiendras devant un empilement de boîtes de conserve et tu lanceras des balles dessus pour les dégommer.

– Et tu demanderas au loup ce que je fais, dit le canard.

– Exactement, dit le cochon. Ensuite, je demanderai au loup de faire quelque chose et je lui demanderai de me dire ce qu'il fait.

– Ce sera quoi ? demandèrent en chœur les poussins.

– Une surprise, déclara le cochon.

L'après-midi, le loup arriva à la ferme. Il semblait très en forme. Le cochon alla lui ouvrir la barrière.

– Bienvenue, dit-il.

– Tu ne perds rien pour attendre, dit le loup.

– Ne mets pas la charrue avant les bœufs, lui dit le cochon. On va commencer l'épreuve.

Ils s'avancèrent tous deux en direction du premier stand. Le paon s'y était installé devant son réchaud à gaz et il y faisait cuire son escalope saupoudrée de biscotte écrasée.

– Quel est cet animal ? lui demanda le cochon.

– Un paon, répondit le loup.

– Que fait-il ? demanda le cochon.

– Il cuisine, répondit le loup.

– Qu'est-ce qu'il cuisine ? demanda le cochon.

BUT
GAZ

– Une escalope, répondit le loup.

– Une escalope comment ? demanda le cochon.

– Une escalope panée, répondit le loup.

– Alors, que fait le paon ? demanda le cochon.

– J'ai trouvé ! s'exclama le loup. Le paon pane !

– Bien, dit le cochon. C'est un bon résultat.

Il n'avait pas l'air impressionné. Le loup, lui, était très fier et se léchait déjà les babines. Le paon, de son côté, n'en menait pas large.

– Passons au deuxième stand, dit le cochon.

C'était le stand des douze poussins. Quand le loup et le cochon arrivèrent, ils firent rouler le bidon de lait sur quelques mètres en y appuyant leur bec de toutes leurs forces.

– Alors, demanda le cochon au loup, que font les poussins ?

– Ils font rouler un bidon de lait, répondit le loup.

– Mais encore ? demanda le cochon.

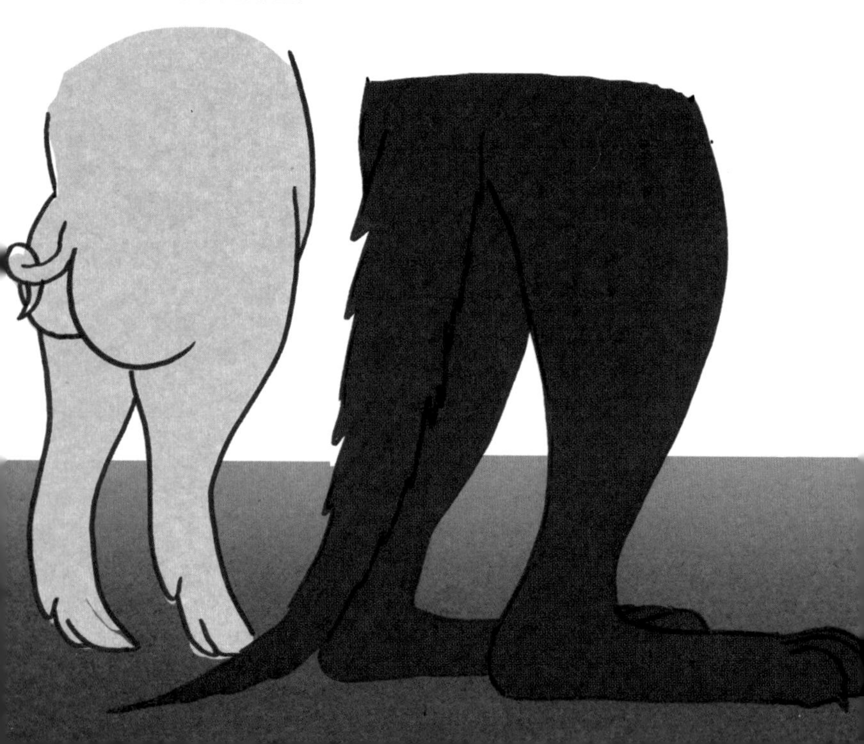

– Ils le déplacent, répondit le loup.

– C’est ce que font les poussins ? demanda le cochon.

Le loup sentit qu’il y avait un piège. Il se concentra.

– En fait, dit-il au bout d’un moment, je sais. Les poussins poussent.

déplacer = to move, shift
un piège = a trap

– Félicitations, fit le cochon, nullement impressionné. Passons au troisième stand.

Les poussins, de leur côté, n'étaient pas très rassurés. De la bave coulait le long des babines du loup.

Au troisième stand, la caille se tenait adossée à trois blocs de glace. Elle tremblait de froid.

– Alors, que fait la caille ? demanda le cochon au loup.

– Elle se tient adossée à trois blocs de glace, répondit le loup.

– C'est tout ? demanda le cochon.

Le loup sentit de nouveau qu'il y avait un piège. Il se concentra.

– La caille a froid, déclara-t-il.

– C'est ton dernier mot ? demanda le cochon.

– Attends, dit le loup. Je réfléchis.

Et le loup réfléchit. La caille tremblait de peur, maintenant. Mais de froid, aussi.

– J'ai trouvé ! s'exclama le loup. La caille caille !

– C’est bien, tu as compris le principe, dit le cochon, nullement impressionné.

Le loup, qui remportait succès sur succès, pensait de plus en plus au bon cochon qu’il allait manger. Non seulement il bavait, mais il transpirait d’émotion. Quant à la caille, elle s’éloigna des cubes de glace pour

ne plus trembler de froid, mais elle tremblait toujours de peur.

– Passons au quatrième stand, fit le cochon. Ça devrait être facile pour toi, maintenant.

Quand le loup, au quatrième stand, vit le chat installé devant son ordinateur, il n'attendit même pas que le cochon lui pose la question.

– Le chat chatte ! déclara-t-il triomphalement.

Quand il regardait le cochon, maintenant, les yeux lui sortaient de la tête.

– Bravo ! fit le cochon, toujours pas impressionné. Maintenant, c'est

moi que tu vas observer dans le cinquième stand.

Il s'approcha d'un tableau quadrillé et commença, à l'aide d'un stylo, à tracer des croix dans des cases.

– Alors ? demanda-t-il au loup. Que fait le cochon ?

Cette fois, le loup hésita.

– Le cochon… heu… cochonne le tableau.

– Certainement pas, répondit le cochon. Mes croix sont propres. Tu as une autre proposition ?

– Heu… fit le loup, légèrement désarçonné. Laisse-moi réfléchir.

Et il réfléchit.

Le cochon, comme pour l'aider, traça quelques croix supplémentaires.

– J'ai trouvé ! s'exclama fièrement le loup. Le cochon coche !

Il semblait prêt à se jeter sur lui. Mais il savait que l'épreuve n'était pas terminée.

– Pas mal, approuva le cochon, qui ne semblait pas plus effrayé que ça. Passons au sixième stand.

Au sixième stand, ils furent

rejoints par tous les animaux, inquiets des performances du loup et de ses grandes dents qui lui sortaient de la gueule. Ils firent cercle autour du cochon, en se tenant tout de même à quelque distance du loup.

Dans le sixième stand, le canard était installé devant une pile de dix boîtes de conserve disposée à six mètres de lui. D'une aile, il tenait une balle. Il en avait neuf autres à ses pieds. Le canard lança la première balle et dégomma trois boîtes de conserve. Il en ramassa une autre et en fit tomber trois de plus. Une autre balle, et les quatre boîtes restantes tombèrent.

– Que fait le canard ? demanda le cochon au loup.

dégommer = to knock out

– Attends, dit le loup, qui transpirait abondamment, je cherche le mot.

– Tu as un trou ? lui demanda le cochon.

– Ne me déconcentre pas, protesta le loup.

Les animaux étaient tous silencieux.

– Le canard canarde ! s'exclama le loup. J'ai gagné !

Et tous les animaux crurent qu'il allait se jeter sur le cochon.

– Pas si vite, fit le cochon. Il te reste quelque chose à faire.

– Quoi donc ? demanda le loup en ravalant sa salive.

– Tu dois encore deviner ce que va faire maintenant un autre animal, lui rappela le cochon. Et cet autre animal, c'est toi.

– Moi ? s'étonna le loup.

– Oui, fit le cochon. Tu es bien un animal ?

– Sans doute, admit le loup.

– Eh bien, tu vas faire exactement la même chose que le canard, expliqua le loup. Et tu me diras ce que tu fais.

– Mais si je fais la même chose que le canard, je vais canarder, supposa le loup.

– Pas sûr, fit le cochon. À toi de jouer, maintenant.

Et le loup se mit en place. Il était complètement en sueur et tremblait d'émotion à l'idée du bon repas qui l'attendait, mais qu'il n'avait pas encore gagné. Cependant, le cochon levait les yeux vers le ciel et joignait les mains.

– Qu'est-ce que tu fais ? lui demandèrent en chuchotant les poussins.

– Je prie, leur répondit le cochon.

Le loup lança la première balle. Il tremblait tellement qu'elle passa au large des boîtes de conserve.

– Raté ! pesta-t-il. Mais attendez de voir !

Il ramassa une deuxième balle. Elle manqua à son tour les boîtes de conserve.

– Il te reste huit balles, dit le cochon.

– Ça va, ça va ! protesta le loup. Laisse-moi me concentrer.

Et il lança une troisième balle. Elle atteignit une boîte de conserve.

chuchoter = to whisper
manquer = to fail/miss
une boîte de conserve = tin can
rater = to miss/fail
atteindre = to reach/hit

– Ah ! fit le loup.

– Il t'en reste neuf à faire tomber, lui indiqua le cochon.

Complètement stressé, le loup ramassa une quatrième balle et la lança. Celle-là ne toucha rien.

La suivante ne toucha rien non plus.

Et pas non plus celle qui suivit la suivante.

Le loup était entièrement recouvert de bave et de sueur.

Fou de rage, il lança les quatre dernières balles en même temps.

Elles passèrent toutes au large de la cible.

– Misère ! s'écria-t-il. J'ai perdu !

Le cochon aurait pu en rester là, mais il était très honnête.

– Non, dit-il au loup. Tu n'as pas encore perdu. L'épreuve consiste à deviner ce que fait chaque animal. Par conséquent, tu dois me dire ce que tu fais.

– Ce que je fais ? s'exclama le loup en s'arrachant nerveusement

des poils de la tête. Mais je ne sais pas ! Je lance des balles sur des boîtes ! Je tire ! Et je rate mes coups ! C'est ça que tu veux que je dise ?

– Non, fit le cochon. Ce n'est pas ça. Tu as une autre proposition ?

– Je transpire ! s'exclama le loup.

– Non, fit le cochon.

– Je bave ! cria le loup. Je tremble ! Je n'en peux plus ! J'ai envie de te manger !

– Non, désolé, fit le cochon, et il se tourna vers les autres animaux. Alors, leur demanda-t-il, que fait le loup ?

Il y eut d'abord un long silence. Puis d'une seule voix, tous les animaux s'écrièrent :

– Le loup loupe ! Le loup loupe !

Le loup cessa de transpirer. Il cessa même de baver. Il était effondré.

– J'ai perdu, admit-il.

– Et tu ne vas manger personne ici, parce que tu as le sens de l'honneur, déclara le cochon. Et si tu as le sens de l'honneur, c'est que tu n'as pas tout perdu, ajouta-t-il.

– Admettons, dit le loup.

Il regarda le cochon, puis tous les petits animaux de la ferme. Son échec lui avait coupé la faim.

– Je vais vous laisser, dit-il. Toi, le cochon, tu pourras sortir le soir et je ne te courrai plus après.

– Bravo ! firent les poussins. Vive le loup !

– Merci, dit le loup.

Et il tourna les talons.

Le soir, les animaux firent la fête à la ferme. Et, quand il fut très tard, le cochon invita tout le monde à aller se promener dans la campagne. Ils ne croisèrent pas le loup. Quant au loup, dans les jours qui suivirent, il retrouva l'appétit. Un soir qu'il entendit un bêlement, il crut qu'un mouton s'était égaré et s'approcha en direction du bruit, espérant un bon dîner. Mais, à la place d'un mouton, il découvrit une belette.

– Tu n'as pas vu un mouton, par ici ? lui demanda-t-il.